초등 수학 핵심파트 집중 완성

고고드강

KB087381

초1

A1

시계와 달력

사고력
문제해결력

측정 · 규칙성
자료와 가능성

에듀히어로
Edu HERO

"진짜 히어로는 우리 아이들입니다!"

에듀히어로는
우리 아이들이 밝고 건강한 내일을 꿈꿀 수 있도록
긍정적이고 효과적인 교육 서비스를 제공하는 것을
최우선 목표로 하고 있습니다.

그 존재만으로도 든든한 히어로처럼 아이들의 곁에서 힘이 되어주고,
나아가 아이들 각자가 스스로의 인생 속 히어로가 될 수 있도록

우리는 진심과 열정을 다해 아이들과 함께 할 것을 약속 드립니다.

네이버 카페

교재 상세 소개와 진단 테스트
및 유용하게 풀 수 있는
학습 자료를 다운로드 해 보세요.

인스타그램

에듀히어로 인스타그램을
팔로우하시면 다양한 이벤트와
신간 소식을 빠르게 만나보실
수 있습니다.

카카오톡 채널

자녀 수학 공부 상담 및
자유로운 질문을 남겨 주세요.
함께 고민하고
답변해 드리겠습니다.

히어로컨텐츠 HEROCONTENS

발행일: 2022년 12월　　　**발행인:** 이예찬

기획개발: 두줄수학연구소

디자인: 4BD STUDIO　　　**삽화:** 1000DAY

발행처: 히어로컨텐츠

주소: 서울특별시 금천구 서부샛길 632, 7층(대륭테크노타운5차)

전화: 02-862-2220　　　**팩스:** 02-862-2227

지원카페: cafe.naver.com/eduherocafe　　　**인스타그램:** @edu__hero　　　**카카오톡:** 에듀히어로

초등 수학 핵심파트 집중 완성 교과특강

수학을 잘 하기 위해서는 1) 수와 연산 2) 도형 3) 측정 4) 규칙성 5) 자료와 가능성 등 초등 수학 5대 학습 영역을 고르게 학습해야 합니다.

다른 교과 과목에 비해 많은 시간을 수학을 학습하는 데 할애하고 있지만 아쉽게도 대부분은 연산 영역에 편중되어 있습니다.

최근 들어 '도형' 등 연산 이외의 다른 영역으로 학습을 확장하는 교재들이 출간되고 있지만 여전히 학년별로 다양한 학습 영역과 필수 주제를 체계적으로 안내해 주는 학습지는 많지 않은 것이 현실입니다.

그런 이유로 교과특강은 학년별 필수 주제를 기본 개념부터 응용, 사고력까지 충분하게 학습하고 훈련할 수 있도록 개발되었습니다

수학을 잘 하고 싶은 학생들에게 노력한 만큼의 성장을 이루어내는 데 교과특강은 좋은 토양과 밑거름이 되어줄 것입니다.

초등 수학 핵심파트 집중 완성 교과특강은

1. '자료 해석 능력'을 집중적으로 키웁니다.

앞으로의 학습은 주어진 표와 그래프를 보고 그 의미를 해석하고 추론하는 '자료 해석 능력'을 요구합니다. 실제로 초등 전학년 뿐만 아니라 중등 과정에서도 '자료 해석'은 학습자의 문제해결력을 확인하는 중요한 소재가 되고 있습니다. 다양한 표와 그래프를 이해하고 해석하는 학습은 초등 과정부터 미리 준비하고 집중적으로 훈련할 필요가 있습니다.

2. '측정', '규칙성' 등 필수 영역임에도 쉽게 지나칠 수 있는 주제를 체계적으로 학습합니다.

길이, 무게, 시간, 어림하기 등 초등 과정에서 쉽게 지나치기 쉬운 '측정'과 추론 능력을 길러주는 '규칙성'을 집중적으로 학습합니다.

3. 복습과 예습으로 학년과 학년 사이의 징검다리 역할을 합니다.

1학년에서 2학년, 2학년에서 3학년, 3학년에서 4학년 등 학년이 올라갈수록 특정 영역에서 수학이 갑자기 어려워지는 순간이 옵니다. 교과특강은 각 학년에서 반드시 짚고 넘어가야 하는 주제를 복습하면서 다음 학년을 위한 예습까지 할 수 있도록 개발되었습니다.

4. 문제해결력과 사고력을 길러줍니다.

기본적인 개념을 바탕으로 이를 응용하고 활용하는 문제해결력과 생각하는 힘을 길러줍니다.

초등 수학 핵심파트 집중 완성 **교과특강**은

7세부터 6학년까지 총 7단계 21권(단계별 3권)으로 구성되어 있으며 각 권은 하루에 1장씩 주 5회, 총 4주 간 체계적으로 학습할 수 있습니다.

매주 5일차의 학습이 끝난 뒤엔 '생각더하기'를 통해 창의력과 사고력을 기르고, 4주의 학습이 끝난 뒤엔 '링크'와 '형성평가'로 관련 주제를 학습하고 교과 수학을 완성할 수 있습니다.

대 상	단 계	구 성
7세 ~ 1학년	P	P1, P2, P3
1학년	A	A1, A2, A3
2학년	B	B1, B2, B3
3학년	C	C1, C2, C3
4학년	D	D1, D2, D3
5학년	E	E1, E2, E3
6학년	F	F1, F2, F3

〈교과 수학 시리즈 A단계 로드맵〉

에듀히어로의 교과 수학 시리즈를 체계적으로 학습하기 위한 로드맵입니다.

예습을 하며 집중적으로 학습하려면 '영역별 집중 학습'을,

교과서 진도에 맞추어 학습하려면 '교과 진도 맞춤 학습'을 권장드립니다.

[영역별 집중 학습]

1월		2월		3월		4월		5월	6월
교과연산 A0	교과도형 A1	교과연산 A1	교과도형 A2	교과연산 A2	교과도형 A3	교과연산 A3	교과특강 A1	교과특강 A2	교과특강 A3

[교과 진도 맞춤 학습]

1월	2월	3월	4월	5월	6월	7월	8월	9월	10월
교과연산 A0	교과도형 A1	교과연산 A1	교과도형 A2	교과연산 A2	교과도형 A3	교과연산 A3	교과특강 A1	교과특강 A2	교과특강 A3

교과특강은 교과 수학을 완성합니다.

주제별 학습

생각더하기

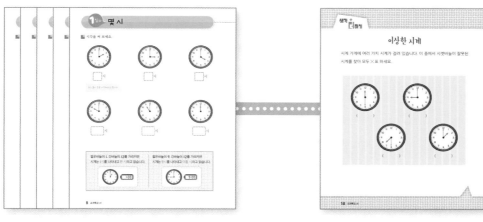

초등 수학을 주제별로 집중 학습합니다. 각 주차의 마지막에 있는 **생각더하기**로 문제해결력을 기릅니다.

링크

형성평가

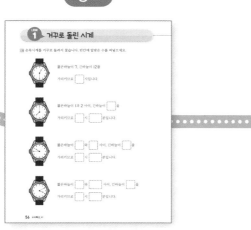

주제별 학습과 연결하여 사고력과 창의력을 향상시킬 수 있는 내용을 학습합니다.

2회의 형성평가로 배운 내용을 잘 알고 있는지 확인합니다.

이 책의 차례

1주차

시계 보기 1

시각을 써 보세요.

☐ 시

☐ 시

☐ 시

1시, 3시 등을 시각이라고 합니다.

☐ 시

☐ 시

☐ 시

짧은바늘이 1, 긴바늘이 12를 가리키면
시계는 1시를 나타내고 한 시라고 읽습니다.

짧은바늘이 9, 긴바늘이 12를 가리키면
시계는 9시를 나타내고 아홉 시라고 읽습니다.

■ 같은 시각끼리 이어 보세요.

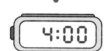　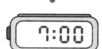　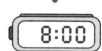

5:00　4:00　7:00　8:00

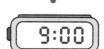　　

12:00　9:00　6:00　3:00

시각을 써 보세요.

☐ 시 ☐ 분

☐ 시 ☐ 분

☐ 시 ☐ 분

☐ 시 ☐ 분

☐ 시 ☐ 분

☐ 시 ☐ 분

짧은바늘이 1과 2 사이, 긴바늘이 6을 가리키면 시계는 1시 30분을 나타내고 한 시 삼십 분이라고 읽습니다.

짧은바늘이 9와 10 사이, 긴바늘이 6을 가리키면 시계는 9시 30분을 나타내고 아홉 시 삼십 분이라고 읽습니다.

같은 시각끼리 이어 보세요.

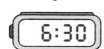

7:30 6:30 9:30 8:30

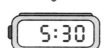

12:30 5:30 1:30 10:30

시각에 알맞게 시곗바늘을 그려 넣으세요.

I시	8시	3시

7시	5시	10시

2:00	9:00	6:00

 시각에 알맞게 시곗바늘을 그려 넣으세요.

5시 30분	1시 30분	7시 30분

9시 30분	11시 30분	6시 30분

10:30	3:30	8:30

🔲 시계가 나타내는 시각을 써넣어 이야기를 완성해 보세요.

 　　☐ 시에 아침을 먹었습니다.

 　　☐ 시 ☐ 분에 학교에 도착했습니다.

 　　☐ 시에 친구들과 공놀이를 했습니다.

 　　☐ 시 ☐ 분에 책을 읽었습니다.

 　　☐ 시에 잠자리에 들었습니다.

■ 이야기에 나오는 시각을 시계에 나타내어 보세요.

10시에 박물관으로 가는 버스를 탔습니다.

11시에 박물관에 도착했습니다.

11시 30분에 전시실을 관람했습니다.

12시 30분에 점심을 먹었습니다.

2시에 집으로 돌아오는 버스를 탔습니다.

3시 30분에 집에 도착했습니다.

시각을 바르게 나타낸 시계에 ◯표 하세요.

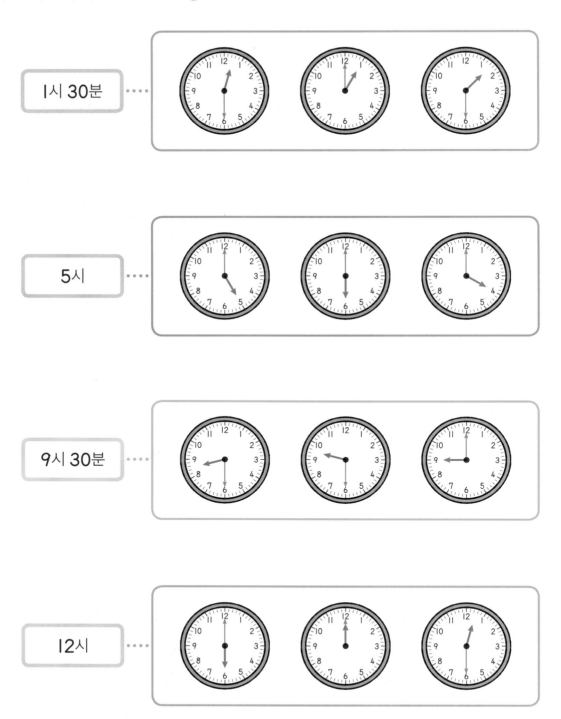

1시 30분

5시

9시 30분

12시

시각을 바르게 읽은 것에 ◯표 하세요.

| 7시 | 8시 | 9시 |

| 3시 30분 | 4시 30분 | 3시 |

| 12시 | 11시 30분 | 11시 |

| 6시 | 5시 30분 | 6시 30분 |

| 12시 | 3시 | 9시 |

이상한 시계

시계 가게에 여러 가지 시계가 걸려 있습니다. 이 중에서 시곗바늘이 잘못된 시계를 찾아 모두 ✕표 하세요.

2 주차

시계 보기 2

🔳 시계를 보고 빈칸에 알맞은 수를 써넣으세요.

짧은바늘이 **2**와 **3** 사이, 긴바늘이 [ ] 를

가리키면 **2**시 **10**분입니다.

짧은바늘이 [ ] 과 [ ] 사이, 긴바늘이 [ ] 를

가리키면 **7**시 **20**분입니다.

짧은바늘이 [ ] 과 [ ] 사이, 긴바늘이 [ ] 를

가리키면 [ ] 시 [ ] 분입니다.

시계의 긴바늘이 가리키는 숫자가 **1**이면 **5**분, **2**이면 **10**분, **3**이면 **15**분……을 나타냅니다.

짧은바늘이 **1**과 **2** 사이,
긴바늘이 **3**을 가리키면
시계는 **1**시 **15**분을 나타내고
한 시 십오 분이라고 읽습니다.

시각을 써 보세요.

☐ 시 ☐ 분

☐ 시 ☐ 분

☐ 시 ☐ 분

☐ 시 ☐ 분

☐ 시 ☐ 분

☐ 시 ☐ 분

☐ 시 ☐ 분

☐ 시 ☐ 분

☐ 시 ☐ 분

📖 같은 시각을 나타내는 시계끼리 이어 보세요.

■ 시각에 맞게 긴바늘을 그려 넣으세요.

4시 5분	2시 40분	9시 15분

7시 35분	5시 50분	11시 25분

12:20	6:45	3:55

시계가 나타내는 시각을 써넣어 이야기를 완성해 보세요.

 ☐시 ☐분에 세수를 했습니다.

 ☐시 ☐분에 집에서 나와 학교로 출발했습니다.

 l교시는 ☐시 ☐분에 시작했습니다.

 ☐시 ☐분에 점심을 먹었습니다.

 집으로 돌아와 시계를 보니 ☐시 ☐분이었습니다.

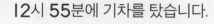 이야기에 나오는 시각을 보고 시계의 긴바늘을 그려 넣으세요.

11시 40분에 기차역으로 출발했습니다.

12시 55분에 기차를 탔습니다.

3시 45분에 할머니 댁에 도착했습니다.

4시 20분에 할머니와 감자를 캤습니다.

6시 5분에 저녁을 먹었습니다.

9시 10분에 잠자리에 들었습니다.

올바른 시각

시각을 바르게 나타낸 시계에 ◯표 하세요.

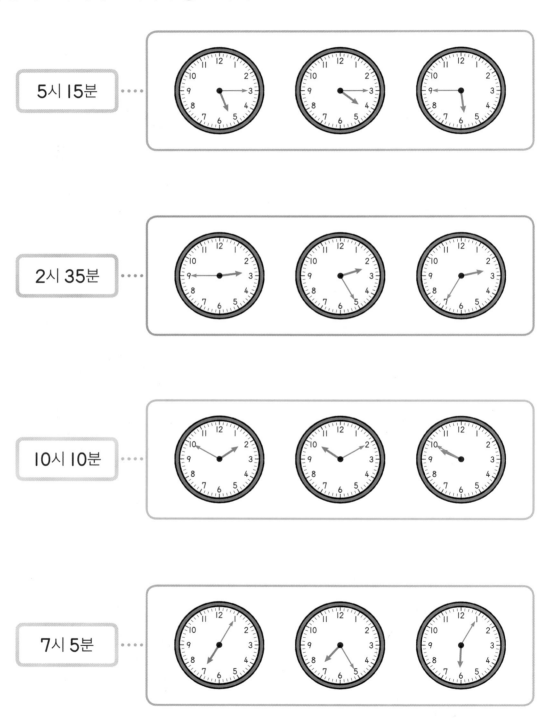

5시 15분

2시 35분

10시 10분

7시 5분

시각을 바르게 읽은 것에 ◯표 하세요.

| 9시 20분 | 8시 40분 | 8시 20분 |

| 4시 | 3시 55분 | 4시 55분 |

| 8시 50분 | 7시 10분 | 7시 50분 |

| 11시 5분 | 11시 1분 | 12시 5분 |

| 10시 9분 | 10시 45분 | 9시 45분 |

빈칸에 알맞은 수를 써넣어 시각을 설명해 보세요.

시계의 짧은바늘이 [ ]과 [ ] 사이에 있고,

긴바늘이 [ ]를 가리키면 11시 20분입니다.

시계의 짧은바늘이 [ ]과 [ ] 사이에 있고,

긴바늘이 [ ]를 가리키면 6시 45분입니다.

시계의 짧은바늘이 [ ]과 [ ] 사이에 있고,

긴바늘이 [ ]를 가리키면 3시 25분입니다.

시계의 짧은바늘이 [ ]와 [ ] 사이에 있고,

긴바늘이 [ ]을 가리키면 12시 50분입니다.

설명하는 시각을 써 보세요.

• 시계의 짧은바늘은 **3**과 **4** 사이에 있습니다.
• 시계의 긴바늘은 **6**을 가리킵니다.

 시 분

• 시계의 긴바늘은 **3**을 가리킵니다.
• 시계의 짧은바늘은 **10**과 **11** 사이에 있습니다.

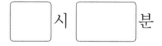 시 분

• 시계의 짧은바늘은 **7**과 **8** 사이에 있습니다.
• 시계의 긴바늘은 **10**을 가리킵니다.

 시 분

• 시계의 긴바늘은 **5**를 가리킵니다.
• 시계의 짧은바늘은 **12**와 **1** 사이에 있습니다.

시 분

숫자가 지워진 시계

시계의 숫자가 지워져 있습니다. 시곗바늘의 위치를 보고 시각을 써 보세요.

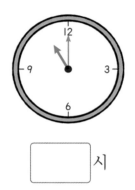

☐ 시

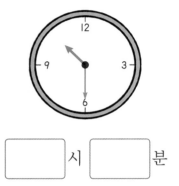

☐ 시 ☐ 분

☐ 시 ☐ 분

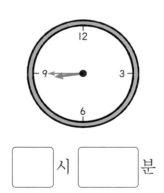

☐ 시 ☐ 분

3 주차 달력 보기

3월과 4월 달력입니다. 빈칸에 알맞은 요일을 써넣으세요.

3월

일	월	화	수	목	금	토
				1	2	3
4	5	6	7	8	9	10
11	12	13	14	15	16	17
18	19	20	21	22	23	24
25	26	27	28	29	30	31

3월 1일: ☐ 요일

3월 20일: ☐ 요일

4월

일	월	화	수	목	금	토
1	2	3	4	5	6	7
8	9	10	11	12	13	14
15	16	17	18	19	20	21
22	23	24	25	26	27	28
29	30					

4월 9일: ☐ 요일

4월 28일: ☐ 요일

달력에는 날짜와 요일이 적혀 있습니다.

1부터 31까지의 수는 날짜, 일, 월, 화, 수, 목, 금, 토는 요일을 나타냅니다.

1월

일	월	화	수	목	금	토
		1	2	3	4	5
6	7	8	9	10	11	12
13	14	15	16	17	18	19
20	21	22	23	24	25	26
27	28	29	30	31		

왼쪽 달력은 1월 달력이고, 1월은 31일까지 있습니다.

1월 3일은 목요일입니다.

1월 18일은 금요일입니다.

일요일인 날짜는 6일, 13일, 20일, 27일입니다.

7월 달력입니다. 달력을 보고 물음에 답하세요.

7월	일	월	화	수	목	금	토
		1	2	3	4	5	6
	7	8	9	10	11	12	13
	14	15	16	17	18	19	20
	21	22	23	24	25	26	27
	28	29	30	31			

7월 31일은 무슨 요일인가요?

(   )요일

화요일은 모두 몇 번 있나요?

(   )번

목요일인 날짜를 모두 써 보세요.

(   )일, (   )일, (   )일, (   )일

2월 달력입니다. 빈칸에 알맞은 날짜를 써넣으세요.

2월

일	월	화	수	목	금	토
					1	2
3	4	5	6	7	8	9
10	11	12	13	14	15	16
17	18	19	20	21	22	23
24	25	26	27	28		

2월 1일에서 1주일 후는 2월 ☐ 일입니다.

2월 13일에서 1주일 후는 2월 ☐ 일입니다.

2월 21일에서 1주일 후는 2월 ☐ 일입니다.

같은 요일은 **7**일마다 반복되고, **7**일간을 1주일이라고 합니다.

1월

일	월	화	수	목	금	토
		1	2	3	4	5
6	7	8	9	10	11	12
13	14	15	16	17	18	19
20	21	22	23	24	25	26
27	28	29	30	31		

6일 일요일부터 12일 토요일까지 7일은 1주일입니다.
6일에서 1주일 후는 13일입니다.
15일 화요일부터 21일 월요일까지 7일도 1주일입니다.
22일에서 1주일 전은 15일입니다.

10월 달력입니다. 달력을 보고 물음에 답하세요.

10월

일	월	화	수	목	금	토
			1	2	3	4
5	6	7	8	9	10	11
12	13	14	15	16	17	18
19	20	21	22	23	24	25
26	27	28	29	30	31	

10월 3일은 개천절입니다. 개천절에서 1주일 후는 며칠인가요?

(   )일

10월 9일은 한글날입니다. 한글날에서 1주일 후는 며칠인가요?

(   )일

10월 27일에서 1주일 전은 선호의 생일이었습니다. 선호의 생일은 며칠인가요?

(   )일

7월과 8월 달력입니다. 빈칸에 알맞은 날짜를 써넣으세요.

7월

일	월	화	수	목	금	토
	1	2	3	4	5	6
7	8	9	10	11	12	13
14	15	16	17	18	19	20
21	22	23	24	25	26	27
28	29	30	31			

7월 첫째 수요일: ☐ 일

7월 셋째 월요일: ☐ 일

8월

일	월	화	수	목	금	토
				1	2	3
4	5	6	7	8	9	10
11	12	13	14	15	16	17
18	19	20	21	22	23	24
25	26	27	28	29	30	31

8월 첫째 화요일: ☐ 일

8월 넷째 토요일: ☐ 일

달력의 같은 요일에서 가장 위에 있는 날짜가 첫째 요일입니다.

1월

일	월	화	수	목	금	토
		1	2	3	4	5
6	7	8	9	10	11	12
13	14	15	16	17	18	19
20	21	22	23	24	25	26
27	28	29	30	31		

첫째 일요일 ← 6 / 둘째 일요일 ← 13 / 셋째 일요일 ← 20 / 넷째 일요일 ← 27

5 → 첫째 토요일 / 12 → 둘째 토요일 / 19 → 셋째 토요일 / 26 → 넷째 토요일

■ 9월 달력입니다. 달력을 보고 물음에 답하세요.

	일	월	화	수	목	금	토
9월					1	2	3
	4	5	6	7	8	9	10
	11	12	13	14	15	16	17
	18	19	20	21	22	23	24
	25	26	27	28	29	30	

선아는 9월 셋째 토요일에 놀이공원에 가기로 했습니다. 선아가 놀이공원에 가는 날은 며칠인가요?

( )일

9월 26일은 몇째 월요일인가요?

( ) 월요일

9월 8일은 추석입니다. 추석은 몇째 목요일인가요?

( ) 목요일

어제, 오늘, 내일

■ 빈칸에 알맞은 날짜와 요일을 써넣으세요.

어제	오늘	내일

9일 목요일 ··· 10일 금요일 ··· ☐일 ☐요일

오늘의 바로 전날은 어제, 오늘의 바로 다음 날은 내일입니다.

☐일 ☐요일 ··· 3일 일요일 ··· 4일 월요일

☐일 ☐요일 ··· 15일 화요일 ··· ☐일 ☐요일

23일 금요일 ··· ☐일 ☐요일 ··· ☐일 ☐요일

☐일 ☐요일 ··· ☐일 ☐요일 ··· 20일 화요일

빈칸에 알맞은 날짜와 요일을 써넣으세요.

오늘은 4월 5일 목요일입니다. 어제는 4월 ☐ 일 ☐ 요일이었고,

내일은 4월 ☐ 일 ☐ 요일입니다.

오늘은 7월 11일 화요일입니다. 어제는 7월 ☐ 일 ☐ 요일이었고,

내일은 7월 ☐ 일 ☐ 요일입니다.

어제는 1월 1일 금요일이었습니다. 내일은 1월 ☐ 일 ☐ 요일입니다.

내일은 5월 15일 토요일입니다. 어제는 5월 ☐ 일 ☐ 요일이었습니다.

5일차 달력 관찰하기

📒 11월 달력입니다. 달력을 보고 물음에 답하세요.

11월

일	월	화	수	목	금	토
					1	2
3	4	5	6	7	8	9
10	11	12	13	14	15	16
17	18	19	20	21	22	23
24	25	26	27	28	29	30

11월 17일은 무슨 요일인가요?

(   )요일

11월 셋째 화요일은 우진이의 생일입니다. 우진이의 생일은 며칠인가요?

(   )일

11월 8일은 몇째 금요일인가요?

(   ) 금요일

📑12월 달력입니다. 달력을 보고 물음에 답하세요.

12월

일	월	화	수	목	금	토
1	2	3	4	5	6	7
8	9	10	11	12	13	14
15	16	17	18	19	20	21
22	23	24	25	26	27	28
29	30	31				

12월 3일에서 1주일 후는 지은이의 생일입니다. 지은이의 생일은 며칠인 가요?

( )일

12월 25일은 크리스마스입니다. 크리스마스는 몇째 수요일인가요?

( ) 수요일

내일은 12월 22일 일요일입니다. 어제는 12월 며칠 무슨 요일이었나요?

12월 ( )일 ( )요일

같은 날짜

1월 달력입니다. 달력을 보고 설명하는 날이 다른 하나를 찾아 ✕표 하세요.

1월

일	월	화	수	목	금	토
		1	2	3	4	5
6	7	8	9	10	11	12
13	14	15	16	17	18	19
20	21	22	23	24	25	26
27	28	29	30	31		

셋째 수요일	15일의 바로 다음 날
23일에서 1주일 전	10일에서 일주일 후

4 주차 지워진 달력

■ 달력에서 지워진 요일 또는 날짜를 써넣으세요. (3월의 마지막 날은 **31**일, 6월의 마지막 날은 **30**일입니다.)

3월

일		화		목	금	토
1	2	3	4	5	6	7
				12	13	14
15	16	17	18			
22	23			26	27	28
29	30	31				

6월

일	월	화	수			토
					2	3
4	5		7		9	10
11	12		14		16	17
18	19		21		23	24
25	26		28		30	

달력에서 어제는 **1**일 전, 내일은 **1**일 후, **1**주일 후는 **7**일 후, **1**주일 전은 **7**일 전입니다.

1월

일	월	화	수	목	금	토
		1	2	3	4	5
6	7	8	9	10	11	12
13	14	15	16	17	18	19
20	21	22	23	24	25	26
27	28	29	30	31		

오른쪽으로 한 칸씩 가면 **1**씩 커지고,
왼쪽으로 한 칸씩 가면 **1**씩 작아집니다.
아래로 한 칸씩 가면 **7**씩 커지고,
위로 한 칸씩 가면 **7**씩 작아집니다.

달력에서 주어진 날짜가 적히는 칸에 색칠해 보세요.

10일

7월

일	월	화	수	목	금	토
	1	2	3	4	5	6
21	22	23	24	25	26	27
28	29	30	31			

23일

9월

일	월	화	수	목	금	토
				1	2	3
4	5	6	7			
11	12	13	14			
18	19	20	21			
25	26	27	28	29	30	

6일

1월

일	월	화	수	목	금	토
		1	2			
	14	15	16	17	18	19
20	21	22	23	24	25	26
27	28	29	30	31		

1일

4월

일	월	화	수	목	금	토
						11
12	13	14	15	16	17	18
19	20	21	22	23	24	25
26	27	28	29	30		

날짜가 지워진 달력을 보고 빈칸에 알맞은 요일을 써넣으세요.

1월

일	월	화	수	목	금	토
	1	2	3	4	5	6
7	8	9	10			
		23	24	25	26	27
28	29	30	31			

1월 12일: ☐ 요일

1월 14일: ☐ 요일

2월

일	월	화	수	목	금	토
					9	10
11	12	13	14	15	16	17
25	26	27	28			

2월 1일: ☐ 요일

2월 20일: ☐ 요일

3월

일	월	화	수	목	금	토
				1		3
4				8		10
11				15		17
18				22		24
25				29		31

3월 7일: ☐ 요일

3월 27일: ☐ 요일

12월 달력에 물감을 흘려 날짜가 지워졌습니다. 물음에 답하세요.

	일	월	화	수	목	금	토
12월					3	4	5
	6		9	10	11	12
	13	14	15			
	20	21	22			
	27	28	29	30	31	

12월 17일은 무슨 요일인가요?

( )요일

12월 25일은 크리스마스입니다. 크리스마스는 무슨 요일인가요?

( )요일

12월의 첫 날은 무슨 요일인가요?

( )요일

■ 날짜가 지워진 달력을 보고 빈칸에 알맞은 날짜를 써넣으세요.

4월

일	월	화	수	목	금	토
	1	2	3	4	5	6
7	8	9				
14				18	19	20
21	22				26	27
28	29	30				

4월 둘째 금요일: ☐ 일

4월 넷째 목요일: ☐ 일

5월

일	월	화	수	목	금	토
			1	2		
				9	10	11
				16	17	18
19	20	21	22	23	24	25
26	27	28	29	30	31	

5월 첫째 일요일: ☐ 일

5월 셋째 수요일: ☐ 일

6월

일	월	화	수	목	금	토
						1
			5	6	7	8
9	10	11	12			
16	17					
23	24	25	26	27	28	29
30						

6월 첫째 화요일: ☐ 일

6월 넷째 토요일: ☐ 일

■11월 달력의 아랫부분이 찢어졌습니다. 물음에 답하세요.

11월

일	월	화	수	목	금	토
				1	2	3
4	5	6	7	8	9	10
11	12	13				

11월 둘째 수요일은 며칠인가요?

(   )일

11월 셋째 일요일은 며칠인가요?

(   )일

11월 20일은 현우의 생일입니다. 현우의 생일은 몇째 무슨 요일인가요?

(   ) (   )요일

■ 설명하는 날짜가 적히는 칸을 달력에서 찾아 색칠해 보세요.

1일에서 1주일 후

7월

일	월	화	수	목	금	토
1	2	3	4	5	6	7
				19	20	21
22				26	27	28
29	30	31				

10월 셋째 일요일

10월

일	월	화	수	목	금	토
				1	2	3
					9	10
			14	15	16	17
	19	20	21	22	23	24
25	26	27	28	29	30	31

4월 5일 식목일

4월

일	월	화	수	목	금	토
				11	12	13
14	15	16	17	18	19	20
21	22	23	24	25	26	27
28	29	30				

■ 설명하는 날짜가 적히는 칸을 달력에서 찾아 색칠해 보세요.

22일에서 1주일 전

7월

일	월	화	수	목	금	토
			1	2	3	4
5	6	7				
					17	18
19						
26	27	28	29	30		

8월 넷째 목요일

8월

일	월	화	수	목	금	토
					2	3
4	5	6	7			
11	12	13				
18	19	20				
25	26					

2월의 첫날

2월

일	월	화	수	목	금	토
				7	8	9
10	11				15	16
17	18	19	20			23
24	25	26	27	28		

■ 물음에 답하세요.

10월 1일은 일요일입니다. 10월 8일은 무슨 요일일까요?

일	월	화	수	목	금	토

(   )요일

요일에 맞게 빈 달력에 1일을 써넣어 봅니다.

6월 1일은 수요일입니다. 6월 11일은 무슨 요일일까요?

일	월	화	수	목	금	토

(   )요일

물음에 답하세요.

5월 8일 어버이날은 금요일입니다. 5월 5일 어린이날은 무슨 요일일까요?

일	월	화	수	목	금	토

( )요일

10월 9일 한글날은 월요일입니다. 10월 3일 개천절은 무슨 요일일까요?

일	월	화	수	목	금	토

( )요일

하준이의 생일

하준이의 생일은 6월입니다. 하준이가 하는 말을 보고, 하준이의 생일인 날짜를 달력에서 찾아 색칠하고 며칠인지 써 보세요.

> 하준: 내 생일은 화요일이야. 6월 16일보다 빠른데 첫째 화요일은 아니야.

6월

일	월	화	수	목	금	토
				4	5	6
7				11	12	13
14				18	19	20
21	22	23	24	25	26	27
28	29	30				

하준이의 생일: 6월 ☐ 일

링크 거울에 비친 시계

손목시계를 거꾸로 돌려서 찼습니다. 빈칸에 알맞은 수를 써넣으세요.

짧은바늘이 **7**, 긴바늘이 **12**를

가리키므로 □ 시입니다.

짧은바늘이 **1**과 **2** 사이, 긴바늘이 □ 을

가리키므로 □ 시 □ 분입니다.

짧은바늘이 □ 와 □ 사이, 긴바늘이 □ 을

가리키므로 □ 시 □ 분입니다.

짧은바늘이 □ 와 □ 사이, 긴바늘이 □ 을

가리키므로 □ 시 □ 분입니다.

거꾸로 돌린 시계입니다. 같은 시계를 찾아 잇고, 시각을 써 보세요.

 •

•  시

 •

•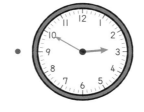

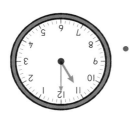 •

•

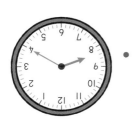 •

•

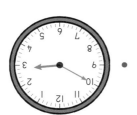 •

•

거울에 비친 시계

■ 거울에 비친 시계를 보았습니다. 빈칸에 알맞은 수를 써넣으세요.

짧은바늘이 **3**, 긴바늘이 **12**를

가리키므로 ☐ 시입니다.

짧은바늘이 **11**과 **12** 사이, 긴바늘이 ☐ 을

가리키므로 ☐ 시 ☐ 분입니다.

짧은바늘이 ☐ 와 ☐ 사이, 긴바늘이 ☐ 를

가리키므로 ☐ 시 ☐ 분입니다.

짧은바늘이 ☐ 과 ☐ 사이, 긴바늘이 ☐ 을

가리키므로 ☐ 시 ☐ 분입니다.

월 일

거울에 비친 시계입니다. 같은 시계를 찾아 잇고, 시각을 써 보세요.

 •

•  [ ]시 [ ]분

 •

• 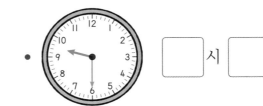 [ ]시 [ ]분

 •

•  [ ]시

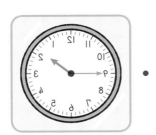 •

•  [ ]시 [ ]분

 •

•  [ ]시 [ ]분

시각 바르게 읽기

■ 물음에 답하세요.

시계가 거꾸로 걸려 있습니다. 시계가 나타내는 시각은 몇 시일까요?

◻ 시

윤수가 잘못하여 손목시계를 거꾸로 차고 시계를 보았습니다. 시계가 나타내는 시각은 몇 시 몇 분일까요?

◻ 시 ◻ 분

🔺 거울에 비친 시계를 보고 이야기하고 있습니다. 바르게 말한 동물에 ◯표 하세요.

시곗바늘의 위치를 보면
4시 30분이야.

짧은바늘이 7과 8 사이에
있으니까 7시 30분이야.

(   )

(   )

거울에 비친 시계니까
1시 50분이야.

긴바늘이 10을 가리키
니까 1시 10분이야.

(   )

(   )

memo

형성평가

1 시각을 써 보세요.

 　시

 　시 　분

2 준우와 보미가 학교에 도착한 시각입니다. 학교에 더 일찍 도착한 사람은 누구일까요?

준우가 도착한 시각　　　　　보미가 도착한 시각

(　　　　　　)

3 나머지와 다른 시각을 나타내는 것의 기호를 써 보세요.

> ㉠ 2시 50분
> ㉡ 짧은바늘이 2와 3 사이, 긴바늘이 3을 가리키는 시각
> ㉢ 두 시 십오 분

(　　　　　　)

※ 3월 달력을 보고 물음에 답하세요. (**4~6**)

	일	월	화	수	목	금	토
3월		1	2	3	4	5	6
	7	8	9	10	11	12	13
	14	15	16	17	18	19	20
	21	22	23	24	25	26	27
	28	29	30	31			

4 3월 19일은 송이의 생일입니다. 송이의 생일은 무슨 요일일까요?

(   )요일

5 3월 22일에서 1주일 후는 며칠일까요?

(   )일

6 승아는 3월의 매주 일요일마다 봉사활동을 하기로 했습니다. 승아는 3월에 봉사활동을 모두 몇 번 할까요?

(   )번

1 시각을 써 보세요.

☐시 ☐분   ☐시 ☐분

2 하람이는 12시 30분에 점심을 먹었습니다. 그 시각을 시계에 나타내어 보세요.

3 시계의 짧은바늘이 정확히 숫자를 가리키고 긴바늘과 짧은바늘이 완전히 겹쳐지는 시각은 몇 시일까요?

(   )시

※ 7월 달력의 날짜가 지워져 있습니다. 물음에 답하세요. (4~6)

7월

일	월	화	수	목	금	토
				1	2	3
				8	9	10
11	12	13				
18	19				23	24
25			28	29	30	31

4 7월 21일부터 여름 방학을 합니다. 여름 방학을 시작하는 날은 무슨 요일일까요?

(　　　　　　)요일

5 7월 13일에서 1주일 전은 며칠일까요?

(　　　　　　)일

6 7월 셋째 월요일은 며칠일까요?

(　　　　　　)일

memo

초등 수학 핵심파트 집중 완성

교과특강

정답

초1

A 1

시계와 달력

사고력
문제해결력

측정 · 규칙성
자료와 가능성

정답

A1

시계와 달력

정답

1주차: 시계 보기 1

1일차 몇 시

■ 시각을 써 보세요.

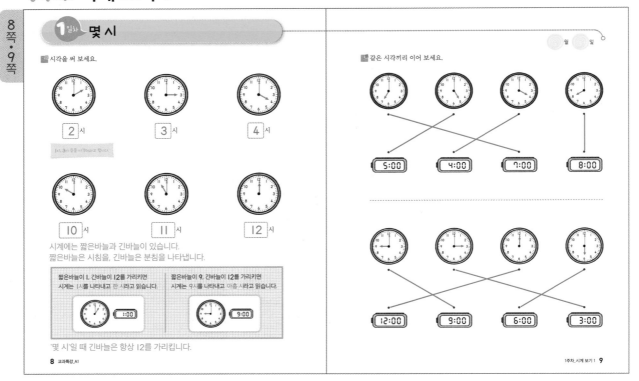

2 시   3 시   4 시

1시, 3시 중을 나타낸다고 합니다

10 시   11 시   12 시

시계에는 짧은바늘과 긴바늘이 있습니다.
짧은바늘은 시침을, 긴바늘은 분침을 나타냅니다.

짧은바늘이 1, 긴바늘이 12를 가리키면 시계는 1시를 나타내고 한 시라고 읽습니다.	짧은바늘이 9, 긴바늘이 12를 가리키면 시계는 9시를 나타내고 아홉 시라고 읽습니다.
1:00	9:00

'몇 시'일 때 긴바늘은 항상 12를 가리킵니다.

■ 같은 시각끼리 이어 보세요.

5:00   4:00   7:00   8:00

12:00   9:00   6:00   3:00

2일차 몇 시 30분

■ 시각을 써 보세요.

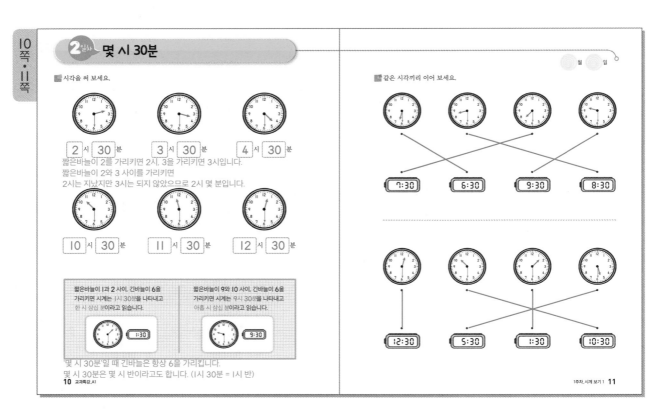

2 시 30 분   3 시 30 분   4 시 30 분

짧은바늘이 2를 가리키면 2시, 3을 가리키면 3시입니다.
짧은바늘이 2와 3 사이를 가리키면
2시는 지났지만 3시는 되지 않았으므로 2시 몇 분입니다.

10 시 30 분   11 시 30 분   12 시 30 분

짧은바늘이 1과 2 사이, 긴바늘이 6을 가리키면 시계는 1시 30분을 나타내고 한 시 삼십 분이라고 읽습니다.	짧은바늘이 9와 10 사이, 긴바늘이 6을 가리키면 시계는 9시 30분을 나타내고 아홉 시 삼십 분이라고 읽습니다.
1:30	9:30

'몇 시 30분'일 때 긴바늘은 항상 6을 가리킵니다.
몇 시 30분은 몇 시 반이라고도 합니다. (1시 30분 = 1시 반)

■ 같은 시각끼리 이어 보세요.

7:30   6:30   9:30   8:30

12:30   5:30   1:30   10:30

3일차 시곗바늘 그리기

■ 시각에 알맞게 시곗바늘을 그려 넣으세요.

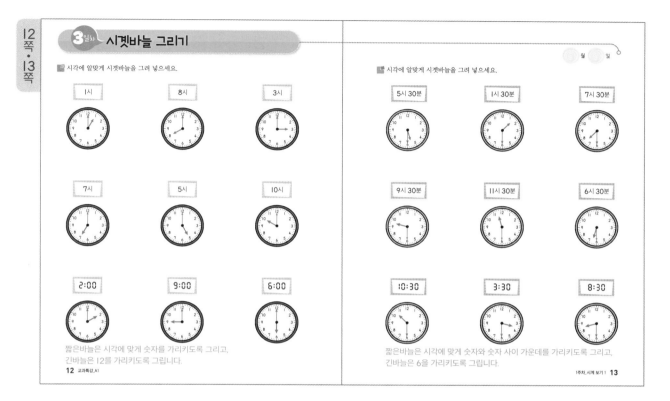

짧은바늘은 시각에 맞게 숫자를 가리키도록 그리고,
긴바늘은 12를 가리키도록 그립니다.

■ 시각에 알맞게 시곗바늘을 그려 넣으세요.

짧은바늘은 시각에 맞게 숫자와 숫자 사이 가운데를 가리키도록 그리고,
긴바늘은 6을 가리키도록 그립니다.

4일차 시각 읽기

■ 시계가 나타내는 시각을 써넣어 이야기를 완성해 보세요.

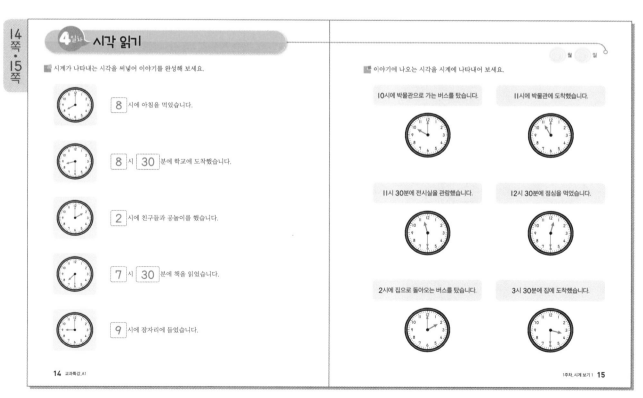

8 시에 아침을 먹었습니다.

8 시 30 분에 학교에 도착했습니다.

2 시에 친구들과 공놀이를 했습니다.

7 시 30 분에 책을 읽었습니다.

9 시에 잠자리에 들었습니다.

■ 이야기에 나오는 시각을 시계에 나타내어 보세요.

10시에 박물관으로 가는 버스를 탔습니다.

11시에 박물관에 도착했습니다.

11시 30분에 전시실을 관람했습니다.

12시 30분에 점심을 먹었습니다.

2시에 집으로 돌아오는 버스를 탔습니다.

3시 30분에 집에 도착했습니다.

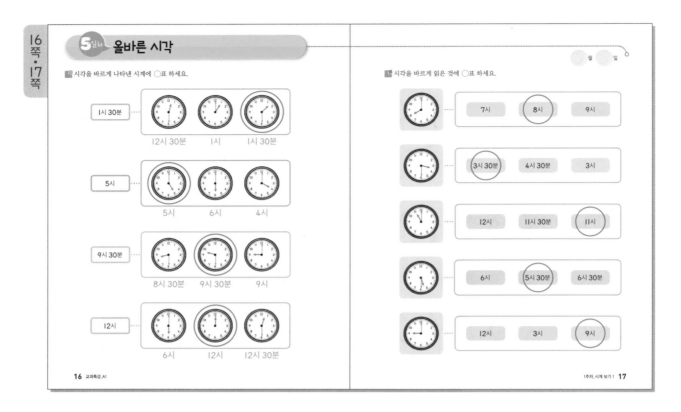

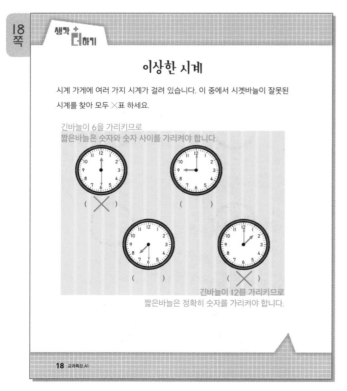

5일차 올바른 시각

시각을 바르게 나타낸 시계에 ○표 하세요.

시각을 바르게 읽은 것에 ○표 하세요.

이상한 시계

시계 가게에 여러 가지 시계가 걸려 있습니다. 이 중에서 시곗바늘이 잘못된
시계를 찾아 모두 ✕표 하세요.

긴바늘이 6을 가리키므로
짧은바늘은 숫자와 숫자 사이를 가리켜야 합니다.

긴바늘이 12를 가리키므로
짧은바늘은 정확히 숫자를 가리켜야 합니다.

| 디지털 시계 읽는 방법 |

디지털 시계에서 :(쌍점) 앞은 '몇 시', : 뒤는
'몇 분'을 나타냅니다.

8시 30분은 `8:30` 또는 `08:30`으로 표
시하는데 **8** 앞에 **0**이 붙을 수도 있습니다.

2주차: 시계 보기 2

1일차 몇 시 몇 분 (1)

시계를 보고 빈칸에 알맞은 수를 써넣으세요.

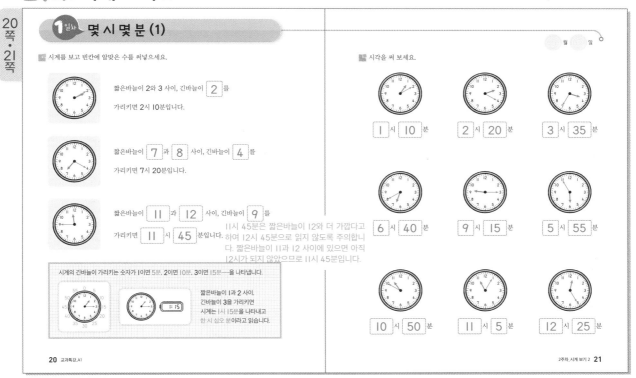

짧은바늘이 2와 3 사이, 긴바늘이 2 를
가리키면 2시 10분입니다.

짧은바늘이 7 과 8 사이, 긴바늘이 4 를
가리키면 7시 20분입니다.

짧은바늘이 11 과 12 사이, 긴바늘이 9 를
가리키면 11 시 45 분입니다.

11시 45분은 짧은바늘이 12와 더 가깝다고
하여 12시 45분으로 읽지 않도록 주의합니
다. 짧은바늘이 11과 12 사이에 있으면 아직
12시가 되지 않았으므로 11시 45분입니다.

시계의 긴바늘이 가리키는 숫자가 1이면 5분, 2이면 10분, 3이면 15분……을 나타냅니다.

짧은바늘이 1과 2 사이,
긴바늘이 3을 가리키면
시계는 1시 15분을 나타내고
한 시 십오 분이라고 읽습니다.

1:15

시각을 써 보세요.

1 시 10 분   2 시 20 분   3 시 35 분

6 시 40 분   9 시 15 분   5 시 55 분

10 시 50 분   11 시 5 분   12 시 25 분

20 교과특강_A1   2주차_시계 보기 2 21

2일차 몇 시 몇 분 (2)

같은 시각을 나타내는 시계끼리 이어 보세요.

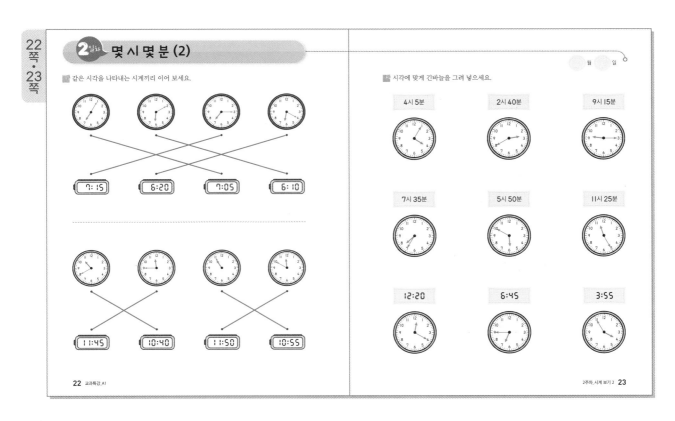

7:15   6:20   7:05   6:10

11:45   10:40   11:50   10:55

시각에 맞게 긴바늘을 그려 넣으세요.

4시 5분   2시 40분   9시 15분

7시 35분   5시 50분   11시 25분

12:20   6:45   3:55

22 교과특강_A1   2주차_시계 보기 2 23

정답 **5**

정답

3일차 시각 읽기

■ 시계가 나타내는 시각을 써넣어 이야기를 완성해 보세요.

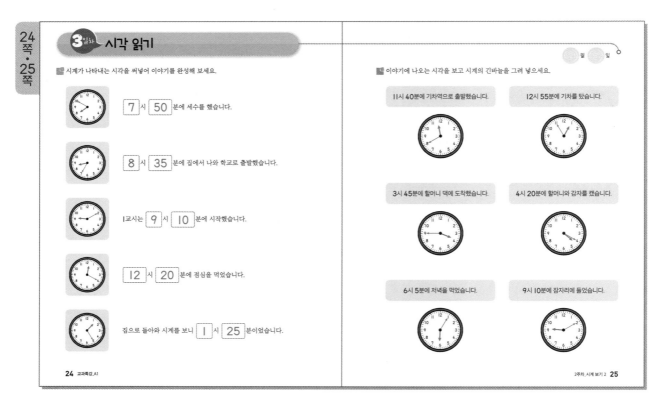

7시 **50**분에 세수를 했습니다.

8시 **35**분에 집에서 나와 학교로 출발했습니다.

1교시는 **9**시 **10**분에 시작했습니다.

12시 **20**분에 점심을 먹었습니다.

집으로 돌아와 시계를 보니 **1**시 **25**분이었습니다.

■ 이야기에 나오는 시각을 보고 시계의 긴바늘을 그려 넣으세요.

11시 40분에 기차역으로 출발했습니다.

12시 55분에 기차를 탔습니다.

3시 45분에 할머니 댁에 도착했습니다.

4시 20분에 할머니와 감자를 캤습니다.

6시 5분에 저녁을 먹었습니다.

9시 10분에 잠자리에 들었습니다.

4일차 올바른 시각

■ 시각을 바르게 나타낸 시계에 ○표 하세요.

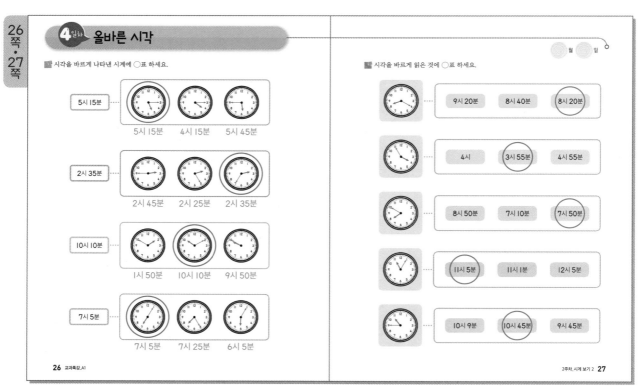

5시 15분 — **5시 15분**, 4시 15분, 5시 45분

2시 35분 — 2시 45분, 2시 25분, **2시 35분**

10시 10분 — 1시 50분, **10시 10분**, 9시 50분

7시 5분 — **7시 5분**, 7시 25분, 6시 5분

■ 시각을 바르게 읽은 것에 ○표 하세요.

9시 20분, 8시 40분, **8시 20분**

4시, **3시 55분**, 4시 55분

8시 50분, 7시 10분, **7시 50분**

11시 5분, 11시 1분, 12시 5분

10시 9분, **10시 45분**, 9시 45분

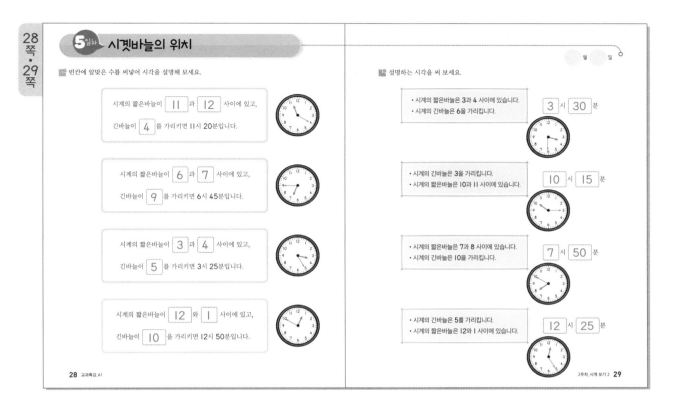

5일차 시곗바늘의 위치

빈칸에 알맞은 수를 써넣어 시각을 설명해 보세요.

시계의 짧은바늘이 **11** 과 **12** 사이에 있고,
긴바늘이 **4** 를 가리키면 11시 20분입니다.

시계의 짧은바늘이 **6** 과 **7** 사이에 있고,
긴바늘이 **9** 를 가리키면 6시 45분입니다.

시계의 짧은바늘이 **3** 과 **4** 사이에 있고,
긴바늘이 **5** 를 가리키면 3시 25분입니다.

시계의 짧은바늘이 **12** 와 **1** 사이에 있고,
긴바늘이 **10** 을 가리키면 12시 50분입니다.

설명하는 시각을 써 보세요.

• 시계의 짧은바늘은 3과 4 사이에 있습니다.
• 시계의 긴바늘은 6을 가리킵니다.

3 시 **30** 분

• 시계의 긴바늘은 3을 가리킵니다.
• 시계의 짧은바늘은 10과 11 사이에 있습니다.

10 시 **15** 분

• 시계의 짧은바늘은 7과 8 사이에 있습니다.
• 시계의 긴바늘은 10을 가리킵니다.

7 시 **50** 분

• 시계의 긴바늘은 5를 가리킵니다.
• 시계의 짧은바늘은 12와 1 사이에 있습니다.

12 시 **25** 분

생각 + 더하기

숫자가 지워진 시계

시계의 숫자가 지워져 있습니다. 시곗바늘의 위치를 보고 시각을 써 보세요.

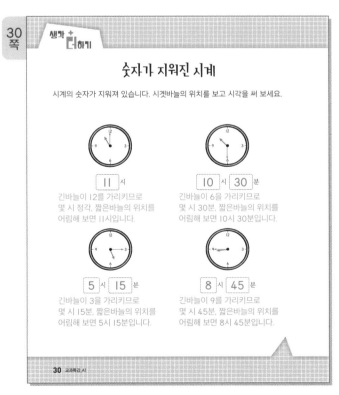

11 시
긴바늘이 12를 가리키므로
몇 시 정각, 짧은바늘의 위치를
어림해 보면 11시입니다.

10 시 **30** 분
긴바늘이 6을 가리키므로
몇 시 30분, 짧은바늘의 위치를
어림해 보면 10시 30분입니다.

5 시 **15** 분
긴바늘이 3을 가리키므로
몇 시 15분, 짧은바늘의 위치를
어림해 보면 5시 15분입니다.

8 시 **45** 분
긴바늘이 9를 가리키므로
몇 시 45분, 짧은바늘의 위치를
어림해 보면 8시 45분입니다.

3주차: 달력 보기

1일차 요일

■ 3월과 4월 달력입니다. 빈칸에 알맞은 요일을 써넣으세요.

3월

일	월	화	수	목	금	토
			①1	2	3
4	5	6	7	8	9	10
11	12	13	14	15	16	17
18	19	⑳20	21	22	23	24
25	26	27	28	29	30	31

3월 1일: 목 요일

3월 20일: 화 요일

4월

일	월	화	수	목	금	토
1	2	3	4	5	6	7
8	⑨9	10	11	12	13	14
15	16	17	18	19	20	21
22	23	24	25	26	27	㉘28
29	30					

4월 9일: 월 요일

4월 28일: 토 요일

> 달력에는 날짜와 요일이 적혀 있습니다.
> 1부터 31까지의 수는 날짜, 일, 월, 화, 수, 목, 금, 토는 요일을 나타냅니다.
>
> **1월**
>
> | 일 | 월 | 화 | 수 | 목 | 금 | 토 |
> |---|---|---|---|---|---|---|
> | | | | 1 | 2 | 3 | 4 |
> | 5 | 6 | 7 | 8 | 9 | 10 | 11 |
> | 12 | 13 | 14 | 15 | 16 | 17 | 18 |
> | 19 | 20 | 21 | 22 | 23 | 24 | 25 |
> | 26 | 27 | 28 | 29 | 30 | 31 | |
>
> 왼쪽 달력은 1월 달력이고, 1월은 31일까지 있습니다.
> 1월 3일은 목요일입니다.
> 1월 18일은 금요일입니다.
> 일요일인 날짜는 6일, 13일, 20일, 27일입니다.

■ 7월 달력입니다. 달력을 보고 물음에 답하세요.

7월

일	월	화	수	목	금	토
					1	2
3	4	5	6	7	8	9
10	11	12	13	14	15	16
17	18	19	20	21	22	23
24	25	26	27	28	29	30
28	29	30	㉛31			

7월 31일은 무슨 요일인가요?　(수)요일

화요일은 모두 몇 번 있나요?　(5)번

목요일인 날짜를 모두 써 보세요.

(4)일, (11)일, (18)일, (25)일

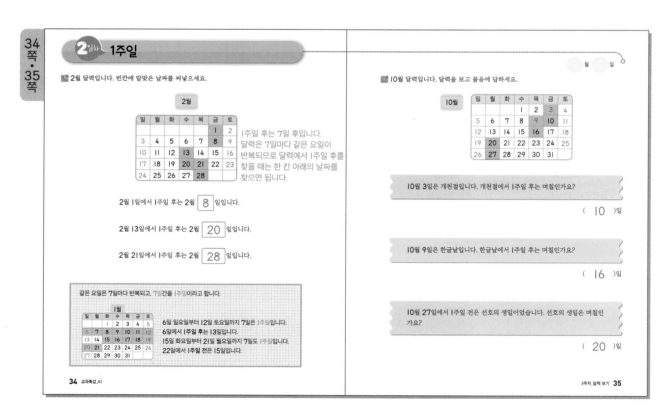

2일차 1주일

■ 2월 달력입니다. 빈칸에 알맞은 날짜를 써넣으세요.

2월

일	월	화	수	목	금	토
					1	2
3	4	5	6	7	8	9
10	11	12	13	14	15	16
17	18	19	20	21	22	23
24	25	26	27	28		

> 1주일 후는 7일 후입니다.
> 달력은 7일마다 같은 요일이 반복되므로 달력에서 1주일 후를 찾을 때는 한 칸 아래의 날짜를 찾으면 됩니다.

2월 1일에서 1주일 후는 2월 8 일입니다.

2월 13일에서 1주일 후는 2월 20 일입니다.

2월 21일에서 1주일 후는 2월 28 일입니다.

> 같은 요일은 7일마다 반복되고, 7일간을 1주일이라고 합니다.
>
> **1월**
>
> | 일 | 월 | 화 | 수 | 목 | 금 | 토 |
> |---|---|---|---|---|---|---|
> | | | 1 | 2 | 3 | 4 | 5 |
> | 6 | 7 | 8 | 9 | 10 | 11 | 12 |
> | 13 | 14 | 15 | 16 | 17 | 18 | 19 |
> | 20 | 21 | 22 | 23 | 24 | 25 | 26 |
> | 27 | 28 | 29 | 30 | 31 | | |
>
> 6일 일요일부터 12일 토요일까지 7일은 1주일입니다.
> 6일에서 1주일 후는 13일입니다.
> 15일 화요일부터 21일 월요일까지 7일도 1주일입니다.
> 22일에서 1주일 전은 15일입니다.

■ 10월 달력입니다. 달력을 보고 물음에 답하세요.

10월

일	월	화	수	목	금	토
			1	2	3	4
5	6	7	8	9	10	11
12	13	14	15	16	17	18
19	20	21	22	23	24	25
26	27	28	29	30	31	

10월 3일은 개천절입니다. 개천절에서 1주일 후는 며칠인가요?

(10)일

10월 9일은 한글날입니다. 한글날에서 1주일 후는 며칠인가요?

(16)일

10월 27일에서 1주일 전은 선호의 생일이었습니다. 선호의 생일은 며칠인가요?

(20)일

3일차 몇째 요일

■ 7월과 8월 달력입니다. 빈칸에 알맞은 날짜를 써넣으세요.

7월

일	월	화	수	목	금	토
	1	2	③	4	5	6
7	8	9	10	11	12	13
14	⑮	16	17	18	19	20
21	22	23	24	25	26	27
28	29	30	31			

7월 첫째 수요일: **3**일

7월 셋째 월요일: **15**일

8월

일	월	화	수	목	금	토
				1	2	3
4	5	⑥	7	8	9	10
11	12	13	14	15	16	17
18	19	20	21	22	23	㉔
25	26	27	28	29	30	31

8월 첫째 화요일: **6**일

8월 넷째 토요일: **24**일

달력의 같은 요일에서 가장 위에 있는 날짜가 첫째 요일입니다.

1월

일	월	화	수	목	금	토
		1	2	3	4	5
6	7	8	9	10	11	12
13	14	15	16	17	18	19
20	21	22	23	24	25	26
27	28	29	30	31		

첫째 일요일 ← 6 → 첫째 토요일
둘째 일요일 ← 13 → 둘째 토요일
셋째 일요일 ← 20 → 셋째 토요일
넷째 일요일 ← 27 → 넷째 토요일

■ 9월 달력입니다. 달력을 보고 물음에 답하세요.

9월

일	월	화	수	목	금	토
	1	2	3	4	5	6
7	8	9	10	11	12	13
14	15	16	⑧	18	19	20
21	22	23	24	25	26	⑰
25	㉖	27	28	29	30	

선아는 9월 셋째 토요일에 놀이공원에 가기로 했습니다. 선아가 놀이공원에 가는 날은 며칠인가요?

첫째 토요일: 3일, 둘째 토요일: 10일, 셋째 토요일: 17일   (**17**)일

9월 26일은 몇째 월요일인가요?

9월 26일은 넷째 월요일입니다.   (**넷째**)월요일

9월 8일은 추석입니다. 추석은 몇째 목요일인가요?

(**둘째**)목요일

4일차 어제, 오늘, 내일

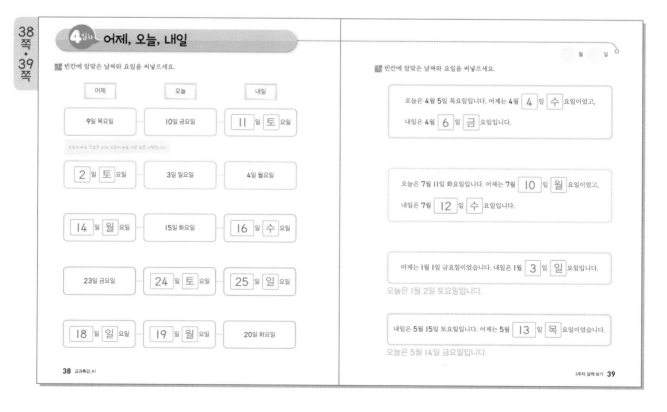

■ 빈칸에 알맞은 날짜와 요일을 써넣으세요.

어제	오늘	내일
9일 목요일	10일 금요일	**11**일 **토**요일

오늘의 바로 전날은 어제, 오늘의 바로 다음 날은 내일입니다.

2일 **토**요일	3일 일요일	4일 월요일
14일 **월**요일	15일 화요일	**16**일 **수**요일
23일 금요일	**24**일 **토**요일	**25**일 **일**요일
18일 **일**요일	**19**일 **월**요일	20일 화요일

■ 빈칸에 알맞은 날짜와 요일을 써넣으세요.

오늘은 4월 5일 목요일입니다. 어제는 4월 **4**일 **수**요일이었고, 내일은 4월 **6**일 **금**요일입니다.

오늘은 7월 11일 화요일입니다. 어제는 7월 **10**일 **월**요일이었고, 내일은 7월 **12**일 **수**요일입니다.

어제는 1월 1일 금요일이었습니다. 내일은 1월 **3**일 **일**요일입니다.

오늘은 1월 2일 토요일입니다.

내일은 5월 15일 토요일입니다. 어제는 5월 **13**일 **목**요일이었습니다.

오늘은 5월 14일 금요일입니다.

5일차 달력 관찰하기

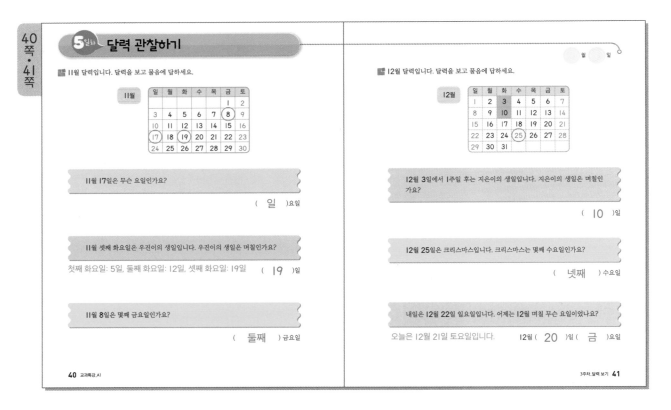

📘 11월 달력입니다. 달력을 보고 물음에 답하세요.

11월

일	월	화	수	목	금	토
					1	2
3	4	5	6	7	⑧	9
10	11	12	13	14	15	16
⑰	18	⑲	20	21	22	23
24	25	26	27	28	29	30

11월 17일은 무슨 요일인가요?

(일)요일

11월 셋째 화요일은 우진이의 생일입니다. 우진이의 생일은 며칠인가요?

첫째 화요일: 5일, 둘째 화요일: 12일, 셋째 화요일: 19일   (19)일

11월 8일은 몇째 금요일인가요?

(둘째)금요일

📘 12월 달력입니다. 달력을 보고 물음에 답하세요.

12월

일	월	화	수	목	금	토
1	2	3	4	5	6	7
8	9	10	11	12	13	14
15	16	17	18	19	20	21
22	23	24	㉕	26	27	28
29	30	31				

12월 3일에서 1주일 후는 지은이의 생일입니다. 지은이의 생일은 며칠인 가요?

(10)일

12월 25일은 크리스마스입니다. 크리스마스는 몇째 수요일인가요?

(넷째)수요일

내일은 12월 22일 일요일입니다. 어제는 12월 며칠 무슨 요일이었나요?

오늘은 12월 21일 토요일입니다.   12월 (20)일 (금)요일

생각 더하기

같은 날짜

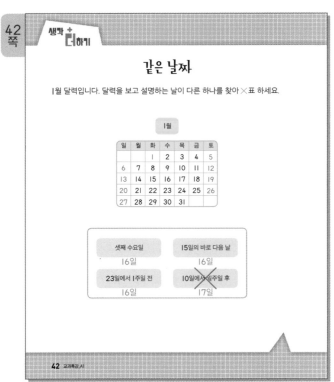

1월 달력입니다. 달력을 보고 설명하는 날이 다른 하나를 찾아 ✕표 하세요.

1월

일	월	화	수	목	금	토
		1	2	3	4	5
6	7	8	9	10	11	12
13	14	15	16	17	18	19
20	21	22	23	24	25	26
27	28	29	30	31		

셋째 수요일	15일의 바로 다음 날
16일	16일
23일에서 1주일 전	10일에서 1주일 후 ✕
16일	17일

4주차: 지워진 달력

1일차 달력 완성하기

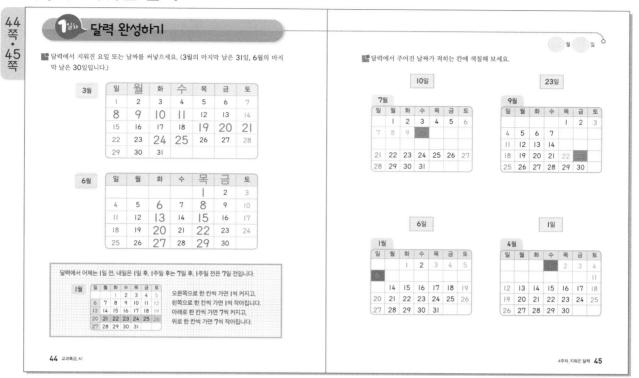

달력에서 지워진 요일 또는 날짜를 써넣으세요. (3월의 마지막 날은 31일, 6월의 마지막 날은 30일입니다.)

달력에서 주어진 날짜가 적히는 칸에 색칠해 보세요.

2일차 요일 찾기

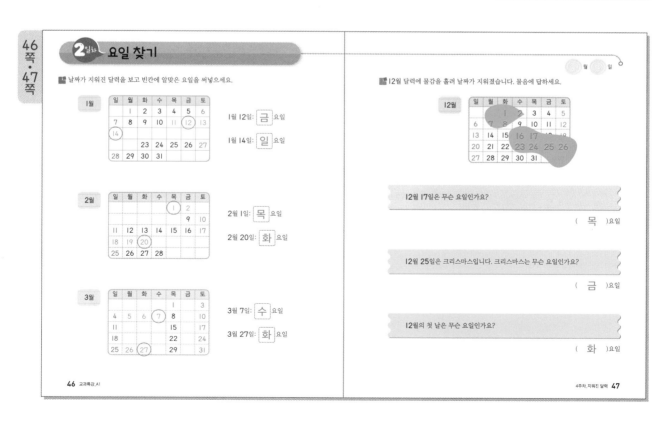

날짜가 지워진 달력을 보고 빈칸에 알맞은 요일을 써넣으세요.

1월 12일: 금 요일
1월 14일: 일 요일

2월 1일: 목 요일
2월 20일: 화 요일

3월 7일: 수 요일
3월 27일: 화 요일

12월 달력에 물감을 흘려 날짜가 지워졌습니다. 물음에 답하세요.

12월 17일은 무슨 요일인가요?
(목)요일

12월 25일은 크리스마스입니다. 크리스마스는 무슨 요일인가요?
(금)요일

12월의 첫 날은 무슨 요일인가요?
(화)요일

❸일차 날짜 찾기 (1)

■ 날짜가 지워진 달력을 보고 빈칸에 알맞은 날짜를 써넣으세요.

4월

일	월	화	수	목	금	토
	1	2	3	4	5	6
7	8	9	10	11	⑫	13
14	15	16	17	18	19	20
21	22	23	24	㉕	26	27
28	29	30				

4월 둘째 금요일: **12**일

4월 넷째 목요일: **25**일

5월

일	월	화	수	목	금	토
			1	2	3	4
⑤	6	7	8	9	10	11
12	13	14	⑮	16	17	18
19	20	21	22	23	24	25
26	27	28	29	30	31	

5월 첫째 일요일: **5**일

5월 셋째 수요일: **15**일

6월

일	월	화	수	목	금	토
						1
2	3	④	5	6	7	8
9	10	11	12	13	14	15
16	17	18	19	20	21	㉒
23	24	25	26	27	28	29
30						

6월 첫째 화요일: **4**일

6월 넷째 토요일: **22**일

■ 11월 달력의 아랫부분이 찢어졌습니다. 물음에 답하세요.

11월

일	월	화	수	목	금	토
				1	2	3
4	5	6	7	8	9	10
11	12	13	⑭	15	16	17
⑱	19	⑳	21	22	23	24
25	26	27	28	29	30	

11월 둘째 수요일은 며칠인가요?

(**14**)일

11월 셋째 일요일은 며칠인가요?

(**18**)일

11월 20일은 현우의 생일입니다. 현우의 생일은 몇째 무슨 요일인가요?

(**셋째**)(**화**)요일

❹일차 날짜 찾기 (2)

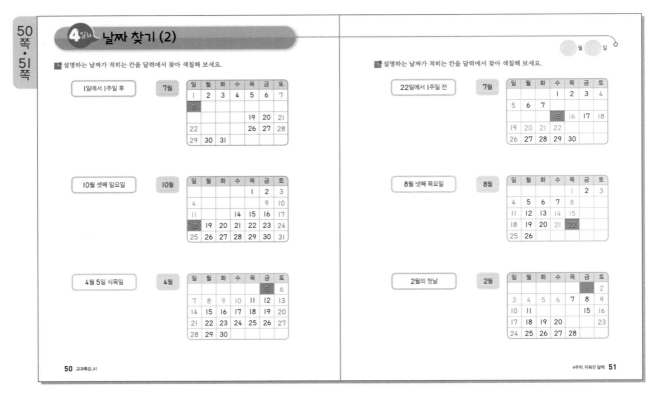

■ 설명하는 날짜가 적히는 칸을 달력에서 찾아 색칠해 보세요.

1일에서 1주일 후 **7월**

일	월	화	수	목	금	토
1	2	3	4	5	6	7
■8				19	20	21
22				26	27	28
29	30	31				

10월 셋째 일요일 **10월**

일	월	화	수	목	금	토
				1	2	3
4				9	10	
		14	15	16	17	
■18	19	20	21	22	23	24
25	26	27	28	29	30	31

4월 5일 식목일 **4월**

일	월	화	수	목	금	토
					■5	6
7	8	9	10	11	12	13
14	15	16	17	18	19	20
21	22	23	24	25	26	27
28	29	30				

22일에서 1주일 전 **7월**

일	월	화	수	목	금	토
				1	2	4
5	6	7		■15	16	17	18
19	20	21	22			
26	27	28	29	30		

8월 넷째 목요일 **8월**

일	월	화	수	목	금	토
					1	2	3
4	5	6	7	8		
11	12	13	14	15		
18	19	20	21	■22		
25	26					

2월의 첫날 **2월**

일	월	화	수	목	금	토
					■1	2
3	4	5	6	7	8	9
10	11				15	16
17	18	19	20			23
24	25	26	27	28		

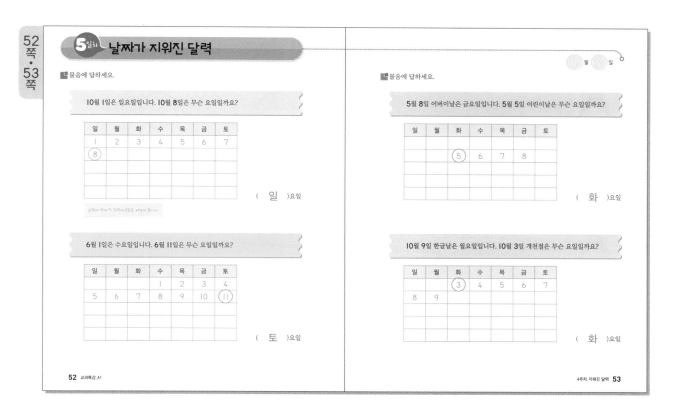

5일차 날짜가 지워진 달력

월 일

■ 물음에 답하세요.

10월 1일은 일요일입니다. 10월 8일은 무슨 요일일까요?

일	월	화	수	목	금	토
1	2	3	4	5	6	7
⑧						

(일)요일

■ 물음에 답하세요.

5월 8일 어버이날은 금요일입니다. 5월 5일 어린이날은 무슨 요일일까요?

일	월	화	수	목	금	토
		⑤	6	7	8	

(화)요일

6월 1일은 수요일입니다. 6월 11일은 무슨 요일일까요?

일	월	화	수	목	금	토
			1	2	3	4
5	6	7	8	9	10	⑪

(토)요일

10월 9일 한글날은 월요일입니다. 10월 3일 개천절은 무슨 요일일까요?

일	월	화	수	목	금	토
		③	4	5	6	7
8	9					

(화)요일

생각 + 더하기

하준이의 생일

하준이의 생일은 6월입니다. 하준이가 하는 말을 보고, 하준이의 생일인 날짜를 달력에서 찾아 색칠하고 며칠인지 써 보세요.

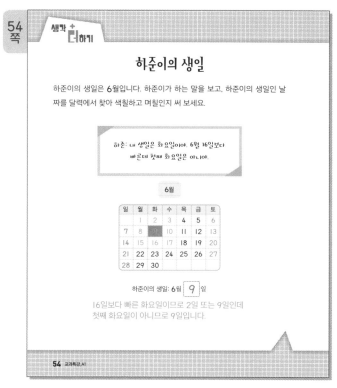

하준: 내 생일은 화요일이야. 6월 16일보다 빠른데 첫째 화요일은 아니야.

6월

일	월	화	수	목	금	토
	1	2	3	4	5	6
7	8	9	10	11	12	13
14	15	16	17	18	19	20
21	22	23	24	25	26	27
28	29	30				

하준이의 생일: 6월 9 일

16일보다 빠른 화요일이므로 2일 또는 9일인데
첫째 화요일이 아니므로 9일입니다.

정답

링크: 거울에 비친 시계

LINK 1 거꾸로 돌린 시계

■ 손목시계를 거꾸로 돌려서 봤습니다. 빈칸에 알맞은 수를 써넣으세요.

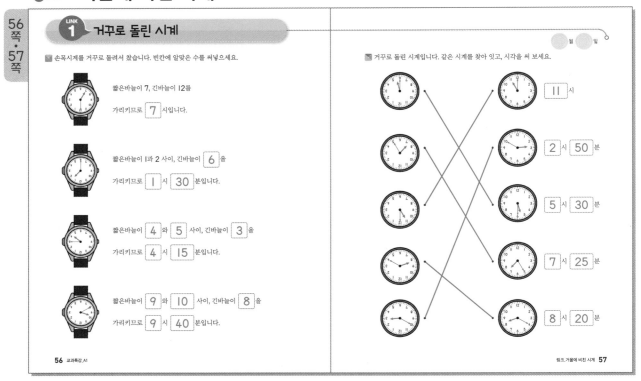

짧은바늘이 7, 긴바늘이 12를
가리키므로 7 시입니다.

짧은바늘이 1과 2 사이, 긴바늘이 6 을
가리키므로 1 시 30 분입니다.

짧은바늘이 4 와 5 사이, 긴바늘이 3 을
가리키므로 4 시 15 분입니다.

짧은바늘이 9 와 10 사이, 긴바늘이 8 을
가리키므로 9 시 40 분입니다.

■ 거꾸로 돌린 시계입니다. 같은 시계를 찾아 잇고, 시각을 써 보세요.

11 시

2 시 50 분

5 시 30 분

7 시 25 분

8 시 20 분

56 교과특강_A1

링크_거울에 비친 시계 57

LINK 2 거울에 비친 시계

■ 거울에 비친 시계를 보았습니다. 빈칸에 알맞은 수를 써넣으세요.

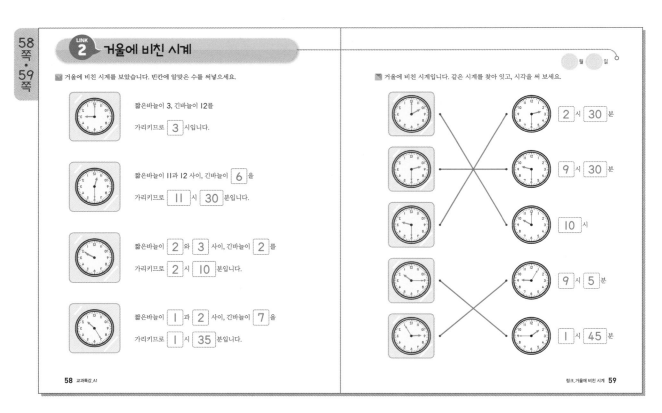

짧은바늘이 3, 긴바늘이 12를
가리키므로 3 시입니다.

짧은바늘이 11과 12 사이, 긴바늘이 6 을
가리키므로 11 시 30 분입니다.

짧은바늘이 2 와 3 사이, 긴바늘이 2 를
가리키므로 2 시 10 분입니다.

짧은바늘이 1 과 2 사이, 긴바늘이 7 을
가리키므로 1 시 35 분입니다.

■ 거울에 비친 시계입니다. 같은 시계를 찾아 잇고, 시각을 써 보세요.

2 시 30 분

9 시 30 분

10 시

9 시 5 분

1 시 45 분

58 교과특강_A1

링크_거울에 비친 시계 59

③ 시각 바르게 읽기

☑ 물음에 답하세요.

> 시계가 거꾸로 걸려 있습니다. 시계가 나타내는 시각은 몇 시일까요?

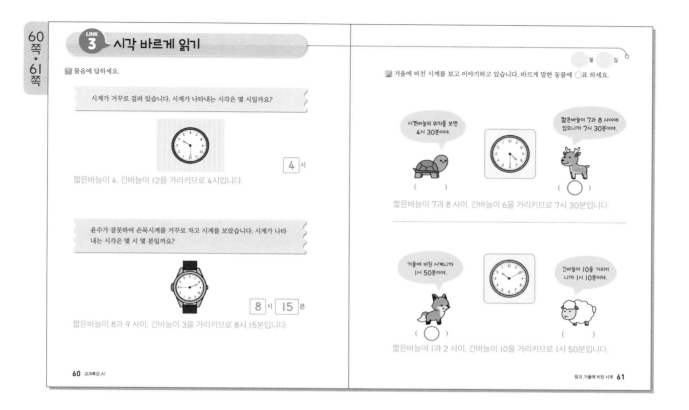

4 시

짧은바늘이 4, 긴바늘이 12를 가리키므로 4시입니다.

> 윤수가 잘못하여 손목시계를 거꾸로 차고 시계를 보았습니다. 시계가 나타내는 시각은 몇 시 몇 분일까요?

8 시 15 분

짧은바늘이 8과 9 사이, 긴바늘이 3을 가리키므로 8시 15분입니다.

☑ 거울에 비친 시계를 보고 이야기하고 있습니다. 바르게 말한 동물에 ○표 하세요.

시곗바늘의 위치를 보면 4시 30분이야.

( )

짧은바늘이 7과 8 사이에 있으니까 7시 30분이야.

(◯)

짧은바늘이 7과 8 사이, 긴바늘이 6을 가리키므로 7시 30분입니다.

거울에 비친 시계니까 1시 50분이야.

(◯)

긴바늘이 10을 가리키니까 1시 10분이야.

( )

짧은바늘이 1과 2 사이, 긴바늘이 10을 가리키므로 1시 50분입니다.

정답

형성평가

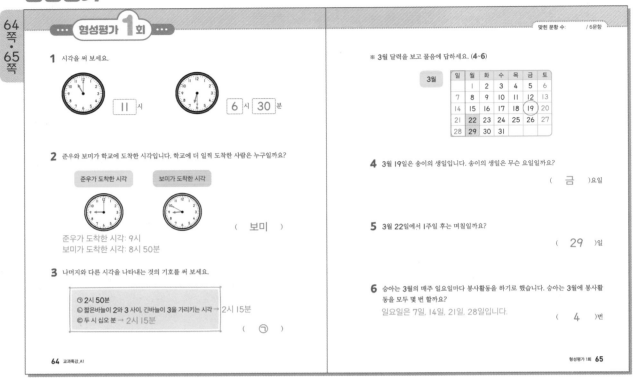

… 형성평가 1회 …

맞힌 문항 수: / 6문항

1 시각을 써 보세요.

[11]시   [6]시 [30]분

2 준우와 보미가 학교에 도착한 시각입니다. 학교에 더 일찍 도착한 사람은 누구일까요?

준우가 도착한 시각   보미가 도착한 시각

(보미)

준우가 도착한 시각: 9시
보미가 도착한 시각: 8시 50분

3 나머지와 다른 시각을 나타내는 것의 기호를 써 보세요.

㉠ 2시 50분
㉡ 짧은바늘이 2와 3 사이, 긴바늘이 3을 가리키는 시각 → 2시 15분
㉢ 두시 십오 분 → 2시 15분

(㉠)

※ 3월 달력을 보고 물음에 답하세요. (4-6)

3월

일	월	화	수	목	금	토
			1	2	3	4
5	6	7	8	9	10	11
12	13	14	15	16	17	18
19	20	21	22	23	24	25
26	27	28	29	30	31	

4 3월 19일은 송이의 생일입니다. 송이의 생일은 무슨 요일일까요?

(금)요일

5 3월 22일에서 1주일 후는 며칠일까요?

(29)일

6 승아는 3월의 매주 일요일마다 봉사활동을 하기로 했습니다. 승아는 3월에 봉사활동을 모두 몇 번 할까요?
일요일은 7일, 14일, 21일, 28일입니다.

(4)번

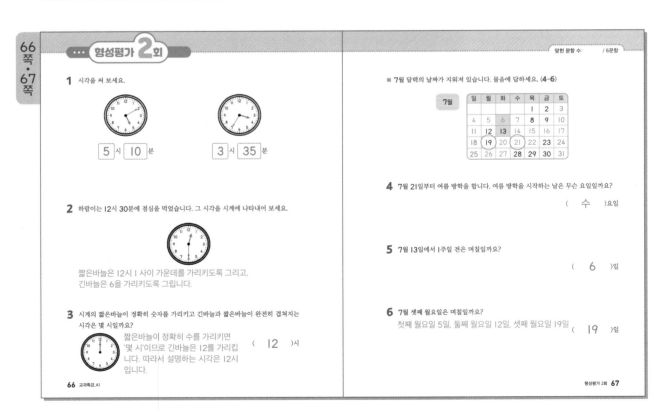

… 형성평가 2회 …

맞힌 문항 수: / 6문항

1 시각을 써 보세요.

[5]시 [10]분   [3]시 [35]분

2 하람이는 12시 30분에 점심을 먹었습니다. 그 시각을 시계에 나타내어 보세요.

짧은바늘은 12시 1 사이 가운데를 가리키도록 그리고,
긴바늘은 6을 가리키도록 그립니다.

3 시계의 짧은바늘이 정확히 숫자를 가리키고 긴바늘과 짧은바늘이 완전히 겹쳐지는 시각은 몇 시일까요?

짧은바늘이 정확히 수를 가리키면 '몇 시'이므로 긴바늘은 12를 가리킵니다. 따라서 설명하는 시각은 12시입니다.

(12)시

※ 7월 달력의 날짜가 지워져 있습니다. 물음에 답하세요. (4-6)

7월

일	월	화	수	목	금	토
				1	2	3
4	5	6	7	8	9	10
11	12	13	14	15	16	17
18	19	20	21	22	23	24
25	26	27	28	29	30	31

4 7월 21일부터 여름 방학을 합니다. 여름 방학을 시작하는 날은 무슨 요일일까요?

(수)요일

5 7월 13일에서 1주일 전은 며칠일까요?

(6)일

6 7월 셋째 월요일은 며칠일까요?
첫째 월요일 5일, 둘째 월요일 12일, 셋째 월요일 19일

(19)일